ふしぎなバイオリン

文・絵　クェンティン・ブレイク

訳　　たにかわ　しゅんたろう

岩波書店

これは **パトリック**というわかものの　おはなし。
あるひ　かれは　バイオリンをかいに　うちをでた。

まちでは　とおりに　いっぱい　ろてんがでていた。
やおやに　さかなや　ようふくや。

ろてんは　みんな　とてもおもしろそうだったが,
パトリックは　たちどまらずに　まっすぐ
オニオンズさんの　みせまで　きた。みせには
こわれたかめや　ふるいランプや　ねずみとりなど,
もうだれもほしがらない　がらくたが　いっぱい。
　　"バイオリン　あるかい?"　**パトリック**は　たずねた。
　　"うんが　いいひとだ"　オニオンズさんが　いった。
"ちょうど　いっちょう　ある"
　　パトリックは　なけなしの　ぎんかをはたいて,
そのバイオリンを　かった。

うれしくて　うれしくて　**パトリック**は
ぜんそくりょくで　のはらへ　はしっていったね。

のはらへ　つくと，バイオリンに
つもった　ほこりを　ふきとばしたよ。

それから　いけのほとりに　すわって　ひきはじめた。
すると　なんとも　へんてこりんなことが　おこった。
いけから　いっぴき　また　いっぴきと　さかなが
とびだし,そらを　とびまわりだしたんだ。
おまけに　さかなたちは　みんな　ちがういろをしてて,
おんがくに　あわせて　うたまで　うたうのさ。

　　ちょうど　そこへ　おんなのこと　おとこのこが
とおりかかった。カスと　ミックっていう　なまえだ。
　"おじさんが　やったの？"　そらとぶ　さかなを
ゆびさして　ミックが　きいた。**パトリック**は
こたえた。"そうさ"

　それから　こんどは　ちがうきょくを　ひくと,
カスの　かみのけを　むすんでた　ひもが　あかい
リボンになり, ミックの　くつのひもは　あおい
リボンに　かわった。

そこで　さんにんは　いっしょに　みちをあるいて
いった。まもなく　りんごえんに　ぶつかった。
パトリックが　バイオリンをひくと，このはは
いろんな　きれいないろに　かわった。

りんごの　かわりに，きには　なしや　バナナや
おかしや　アイスクリームや　バタートーストが
みのりはじめた。カスと　ミックは　きの
あいだを　はしりまわって　えんりょなく
すきなものを　ちょうだいした。

　たべてるあいだに，はとのむれが　とんできて，
パトリックは　また　バイオリンをひいた。
はとたちには　あたらしい　きれいなはねが
はえはじめ，みたこともない　うつくしい　とりに
なった。カスと　ミックは　チョコレートケーキの
きれっぱしを　ごちそうしてあげた。

パトリックと　こどもたちが　もうすこしいくと
めうしたちに　であった。くろとしろの　ぶちだったけど，
パトリックが　バイオリンを　ひくと，いろんないろの
ほしのもように　なって，おんがくに　あわせて
おどりだした。

そこで　みんなで　みちを　あるいてゆくと，
やどなしに　であった。やどなしは　ぶしょうひげを
はやし，あなのあいた　ぼうしから　かみのけが
つきだしていた。かれは　パイプを　すっていて，
ふかすたびに　ひばなが　ちるのだった。

"きれいな きょくだね" やどなしは いった。
"バイオリンの ひびきほど すきなものは このよにゃ
ないね" そこで **パトリック**が ますます
いっしょけんめいに ひくと，ひげだらけの
やどなしの パイプからでる ひばなは，どんどん
おおきく うつくしくなって とうとう はなびに
なっちゃった。

　みんなは　そろって　さきへ　すすんだ。おまつりの
ぎょうれつ　みたいだった──リボンをつけた
カスと　ミック，うたってる　さかなと　とり，
おどってる　めうし，パイプで　はなびを
ふかしてる　ひげだらけの　やどなし，そして
バイオリンを　ひいている　**パトリック**。

　まもなく　みんなは　にばしゃにのる
いかけやと　そのかみさんに　であった。
"あたしたちの　ぎょうれつを　みて"
カスは　さけんだ。"おもしろいでしょ！"
　"うちのていしゅに　どうやって　たのしめって
いうんだい？"　かみさんは　いった。
"すっかり　やせちまって　どうしていいか
わかりゃしない。せきがでて　さむけがして
おなかがいたくて　あたまがいたむんだ。ゆっくり
ゆっくり　いかなきゃならない。くらくなる
まえに　どうやって　まちにつけるやら"

〝バイオリンを　ひいてみよう〟
パトリックは　いった。

ひきはじめると，
ごらんのとおり。

いかけやは　ふとりだした。

せきと　さむけがとまり，おなかも
あたまも　いたくなくなって，もとどおり
げんきで　わらって　しあわせに　なった。

それだけじゃない。うまと　にぐるまが　どう
なったか　みてごらん！　いかけやと　かみさんは
にぐるまにのり，**パトリック**と　カスと　ミックと
ひげだらけの　やどなしも　のせてもらった。
さかなと　とりは　そのうえを　とびまわり，
めうしたちは　うしろを　かけて　ついてきた。

そうして　みんなそろって　くらく
なるまえに　まちへ　かえったとさ。

PATRICK by Quentin Blake
Text and illustrations © 1968 by Quentin Blake
Original English edition published by Jonathan Cape Ltd.

Japanese language paperback rights arranged
through A. P. Watt & Son, London and
Charles E. Tuttle Co., Inc., Tokyo.